C000149459

30 Minutos
... Antes de su
evaluación

Director de Colección:
Ernesto Gore

Edición Original:
Kogan Page Limited

Título Original:
30 Minutes... Before Your Job Appraisal

Traducción:
Ana García Bertrán

Diseño de tapa: Más Gráfica / Grupo

Maquetación de interiores: Ediciones Pomares

Patrick Forsyth

30 Minutos
... Antes de su
evaluación

GRANICA

BARCELONA - BUENOS AIRES - MÉXICO
SANTIAGO - MONTEVIDEO

© 1999 Patrick Forsyth / Kogan Page Limited
© 2000 EDICIONES GRANICA, S. A.

Balmes, 351, 1.º 2.ª - 08006 BARCELONA
Tel.: 34 93 211 21 12 - Fax: 34 93 418 46 53
E-mail: barcelona@granica.com

Lavalle 1634, 3.º - 1048 BUENOS AIRES
Tel.: 5411 4374 1456 - Fax: 5411 4373 0669
E-mail: buenosaires@granica.com

Bradley, 52, 1.º
Col. Anzures - 11590 MÉXICO D.F.
Tel: 52 5 254 4014 / Fax: 52 5 254 5997
E-mail: mexico@granica.com

Antonio Bellet, 77, 6.º
Providencia
SANTIAGO DE CHILE
Tel. - Fax: 56 2 235 0067
E-mail: santiago@granica.com

Salto, 1212
11200 MONTEVIDEO
Tel.: 59 82 409 69 48
Fax: 59 82 408 29 77
E-mail: montevideo@granica.com

http://www.granica.com

ISBN: 84-7577-801-1
Depósito legal: B-17.540-2000

Impreso en BIGSA
Sant Adrià del Besós (Barcelona - España)

ÍNDICE

INTRODUCCIÓN

*Nadie puede hacer que te sientas inferior
si tú no quieres.*

ELEANOR ROOSEVELT

Es muy probable que su trabajo le exija mucho. Seguramente tendrá la impresión de que hace todo lo que puede. A lo mejor su trabajo le satisface, quizás porque el hacerlo bien le proporciona una sensación del deber cumplido. Tiene la impresión de que hace que las cosas funcionen, de que hace algo importante. Entonces, ¿por qué odia tanto las reuniones de evaluación? Una vez al año, algunas veces más, alguien se sienta frente a usted en un despacho y –así es como puede parecer– le dice todo lo que hace mal, lo que no hace correctamente y lo que no hace. Si este es su caso, no me extraña que odie tanto ese tipo de reuniones.

La evaluación del trabajo es algo natural, forma parte del mismo. Si trabaja en una organización, independientemente de su tamaño, tendrá que pasar por un proceso de evaluación, simplemente porque la legislación laboral obliga a la mayoría de las organizaciones a realizar evaluaciones periódicas de sus empleados. Pero en realidad, una evaluación debería ser, y normalmente lo es, algo más que eso. Y puede ser mucho más. Las evaluaciones representan una oportunidad única para comprobar el progreso, evaluar los resultados y mirar hacia el futuro, aumentando la probabilidad de que el rendimiento futuro no sólo sea satisfactorio, sino que además sea mejor. O por lo menos debería serlo.

Algunas veces las evaluaciones no son muy constructivas, o estimulantes. Si no se entienden bien, si a los managers no les gusta demasiado llevarlas a cabo, o si piensan que el proceso es difícil, entonces lo más probable es que no consigan demasiado. En este caso, entonces representan una oportunidad perdida, porque la evaluación debería ser útil para la organización, para el evaluador y para el evaluado. En este libro no vamos a hablar de cómo evaluar a los individuos, aunque seguramente los managers que tengan que ocuparse de esta tarea encontrarían el contenido muy útil; lo que aquí vamos a hacer es analizar la experiencia desde el punto de vista de los que están siendo objeto de evaluación, es decir, los evaluados. Debería considerar su evaluación como algo constructivo, práctico y útil tanto para su trabajo como para su carrera.

Naturalmente, hasta cierto punto su evaluación depende de los sistemas utilizados y de su implementación por parte de los managers. Pero usted también puede influir bastante en el proceso. Cómo hacer que una evaluación sea constructiva importa menos que el proceso en sí. La intención de este libro de lectura rápida es muy simple: ayudarle a sacar más partido de su próxima evaluación. Esto supone no sólo contribuir a que la experiencia resulte más fácil o cómoda, sino también demostrar que la evaluación puede ser muy positiva para conseguir que el trabajo del próximo año sea más satisfactorio, para aumentar la probabilidad de conseguir los resultados deseados y, para que a largo plazo su carrera evolucione satisfactoriamente.

Nadie debería ir a ciegas a las reuniones de evaluación, pensando que todo irá bien y tratando simplemente de «improvisar». Es demasiado importante para permitírselo. Puede salir ganando muchísimo y sin duda merece la pena reflexionar un poco (¡realmente 30 minutos bastan!) antes de la reunión.

EL POR QUÉ DE LAS EVALUACIONES

Puesto que generalmente no tiene alternativa frente a una reunión de evaluación, merece la pena empezar considerando los motivos que llevan tanto a la compañía como al evaluador a celebrarla. Después de todo, usted no dicta todas las reglas. Seguramente hay un sistema, existen unas formas y unos procedimientos relacionados con todo lo que sucede. Esto no significa que no pueda influir en el curso de los acontecimientos, pero si quiere hacerlo, debe comprender por qué las cosas se suceden de ese modo.

Las evaluaciones profesionales pueden adquirir diversas formas. En muchas organizaciones este término es suficiente para identificar el tipo de reunión y de proceso utilizado. En otras puede adquirir otros nombres. Éstos normalmente suelen incluir palabras como planificación, valoración, individuo y resultados - valoración del rendimiento personal, quizás. Sea cual sea el nombre que le demos, es muy probable que los motivos de su existencia sean muy similares.

Los motivos, que deberían beneficiar tanto al individuo como a la organización, incluyen:

▶ Revisión del rendimiento o de los resultados del individuo en el pasado

▶ Planificación de su trabajo y tareas futuras;.

▶ Definición de los objetivos específicos futuros del individuo.

▶ Aceptación y creación de la propiedad de dichos objetivos por parte del individuo.

▶ Identificar las necesidades de desarrollo y establecer la actividad de desarrollo.

▶ Entrenamiento o formación sobre el terreno.

▶ Obtener feedback.

▶ Reforzar o ampliar la relación de *reporting*.

▶ Actuar como un catalizador para delegar.

▶ Concentrarse en la progresión profesional a largo plazo.

▶ Actuar con motivación.

La revisión puede concentrarse en alguno de estos puntos o en todos ellos; no son mutuamente excluyentes, pero el énfasis relativo puede variar según los casos. En general la intención, el propósito global, es mejorar el rendimiento actual (asumiendo que generalmente se puede mejorar incluso un rendimiento bueno), y conseguir que aumente la probabilidad de conseguir planes futuros.

Aclarar su posición

Puede ser que la primera vez que oiga hablar del proceso de evaluación profesional de una organización sea en una entrevista de trabajo, antes de aceptar ese puesto de trabajo. Sin duda ese momento, o poco después de haber aceptado el trabajo, constituye una buena ocasión para hacer algunas preguntas. Idealmente la evaluación se considerará positiva para ambas partes, por lo que las preguntas serán bien recibidas. Se trata de un área de investigación muy interesante para un posible futuro empleado.

Considere formular las siguientes preguntas:

- ¿Me proporcionarán una descripción exacta del contenido de mi trabajo?
- ¿Con qué frecuencia se evaluará mi trabajo?
- ¿Cómo se evaluará mi trabajo?
- ¿Qué aspectos se revisarán en el proceso de evaluación?
- ¿Qué targets específicos forman parte de la revisión?
- ¿Se sigue algún tipo de procedimiento estándar? (A lo mejor puede consultar, o pedir permiso para consultar alguna documentación.)
- ¿Qué relación hay entre este sistema y la revisión salarial?
- ¿Qué relación hay entre evaluación y desarrollo y training?

Las respuestas que obtenga pueden ser muy reveladoras. Puede descubrir que su posible empleador considera el proceso de evaluación como poco relevante y que llegue incluso a modificar su opinión con respecto a él/ella como empleador. Puede parecer que escapar a un proceso de evaluación formal es una opción fácil, pero ¿realmente quiere trabajar en una empresa en la que sus resultados tienen tan pocas consecuencias? Además, si sabe que una parte importante de una evaluación futura se centrará en el cumplimiento o no dé un determinado objetivo específico, entonces más vale que lo sepa.

Podrá enfocar su primera reunión de evaluación con más tranquilidad si sabe a ciencia cierta cuál es su finalidad y lo que significa para la compañía.

Salario y consideraciones compensatorias

En un sentido estricto, el objetivo de los procesos de evaluación no es determinar un salario, u otros niveles compensatorios, futuros. Dicho esto, muchas compañías establecen un vínculo muy estrecho entre evaluaciones y revisión salarial, y –en el peor de los casos– la evaluación no es nada más que una charla rápida seguida de la comunicación del salario del próximo año (y algunas veces una enérgica defensa del management de la empresa de por qué no puede ser más alto). En algunas ocasiones, y a ciertos niveles, la reunión puede tratar únicamente del sueldo del empleado y centrarse exclusivamente en la negociación de los niveles salariales y de otras compensaciones.

Más sensiblemente, algunas compañías separan los dos procesos. La evaluación es una valoración objetiva del trabajo realizado hasta ese momento y su importancia reside en los motivos enumerados anteriormente. El salario y la valoración de su posible modificación es otro tema, que es mejor abordar en otro momento. Sin duda, si la gente sabe que las reuniones de evaluación acaban con el anuncio de un salario revisado, entonces tanto el evaluador como el evaluado pueden tener su atención alejada de los temas objeto de discusión en la primera parte de la reunión, y les resultará difícil mantener una discusión honesta y abierta.

Si quiere analizar el modo en que su organización desarrolla los procesos de evaluación, éste es uno de los factores que debe tener en cuenta; puede que le parezca más constructivo utilizar este enfoque, que considera la separación de estos dos factores.

Legislación laboral

Este libro es demasiado breve como para revisar en él todos los aspectos de la legislación laboral. Basta con decir que ésta es compleja, que cambia continuamente y que las organizaciones saben perfectamente que si infringen la ley tendrán que pagar un precio muy alto. Los periódicos regularmente publican testimonios de las partes implicadas, artículos sobre casos que han llegado a los tribunales, como el de un despido ilegal o el de una discriminación laboral y los tribunales industriales implicados en el proceso.

En este caso la relación con la evaluación es básicamente el rendimiento. En último término, si una persona no rinde en su trabajo puede acabar quedándose sin ese trabajo. Pero ¿qué se considera como rendimiento satisfactorio y cómo pueden saber los empleados si están haciendo bien su trabajo o no? La respuesta requiere incluir la formalidad de la descripción de los puestos de trabajo y de la evaluación. Así, la ley dificulta el despido de empleados por causa de su bajo rendimiento si éstos pueden demostrar que no han recibido una descripción clara de su puesto de trabajo, o que no han recibido información regular acerca de los resultados de su trabajo, y esto quizás sea bastante lógico. Pero esta relación condiciona algunos de los elementos tanto de los sistemas como de las descripciones de los puestos de trabajo, y las evaluaciones sólo se pueden organizar como una protección o como un seguro con respecto a futuros problemas de este tipo.

No es preciso exagerar ante una situación como ésta. La mayoría de las compañías tienen suficientes razones constructivas para contar con un sistema de evaluación de sus empleados; quieren sacar el máximo partido de ese sistema y que les ayude a mejorar el rendimiento y los resultados futuros. No está de más, sin embargo, tener todo esto presente como parte de la situación global.

Factores especiales

Un último elemento que hay que tener en cuenta a la hora de considerar la lógica de cualquier sistema que utilice su organización es su funcionamiento en circunstancias especiales. Por ejemplo, cuando varían los factores culturales. Algunas organizaciones americanas tienen muchos más sistemas formales de lo habitual en el Reino Unido. En otros países los estilos imperantes pueden variar. Por ejemplo, estos sistemas en Francia consideran mucho más los factores comportamentistas.

Asimismo, los sistemas pueden reflejar factores de actualidad. Por ejemplo, una compañía puede haber sido adquirida por otra y estar cambiando su sistema por el de la nueva matriz. La medida puede aumentar como preludio de algún acontecimiento en particular (éste puede ser positivo o negativo: el despido de algún empleado o la expansión de la empresa).

Una vez más, si está al corriente de estos factores entonces estará más preparado para interaccionar con el sistema de la forma más adecuada.

Ante todo, lo importante es entender lo que se hace, por qué se hace, cómo se hace y cuáles son las actitudes del evaluador y del evaluado. Aunque para conseguirlo haya que investigar un poco, no se tratará de nada más que de hacer unas cuantas preguntas y de dedicarle un poco de tiempo.

LA OPORTUNIDAD
PERSONAL

En primer lugar, tiene que tener muy clara la opinión con respecto al proceso de la organización y del manager (en algunos casos pueden ser varios) que se va a ocupar de su evaluación. A continuación tiene que pensar en cómo le puede ayudar. Claramente la necesita para ser constructivo. Una reunión «poco clara» no ayuda a nadie, y la claridad de intenciones es un factor que contribuye a que la reunión vaya bien. Concretamente, se tiene que fijar objetivos del siguiente orden:

- Planificar cómo establecer puntos positivos relativos al rendimiento durante el período revisado.
- Estar preparado para responder correctamente a las cuestiones evaluadas, incluidas las negativas.
- Proyectar una imagen adecuada.
- Revisar planes de trabajo específicos para el próximo período.
- Revisar los factores de los que depende el éxito futuro.

- Identificar la necesidad o la conveniencia de training y de desarrollo.

- Mirar hacia el futuro, considerar el desarrollo profesional a largo plazo.

- Relacionar la discusión con la revisión salarial y de los beneficios.

Su forma de pensar con respecto a todos estos puntos debe ser positiva. Las evaluaciones se describen correctamente como una oportunidad. No se trata únicamente de pensar en cómo ha ido el año que acaba de pasar, sino de tener unas intenciones muy claras con respecto a lo que se tiene que discutir (o que es inevitable) y a lo que se puede sacar de la discusión.

Los dos primeros puntos anteriores, esencialmente el planificar cómo abordar los puntos discutidos, tanto con respecto al pasado como al futuro, los dejaremos de lado por el momento (los capítulos 3 y 4 incluyen comentarios al respecto). Los demás puntos, sin embargo, los revisaremos en este capítulo.

Proyectar la imagen adecuada

Su actitud condiciona todo el proceso. Puede ser muy útil considerar este aspecto en dos sentidos:

1. La imagen que proyecta en términos de su actitud con respecto a la evaluación. Aquí tiene que estar muy seguro de que está claro que acepta y comprende la necesidad de la evaluación, que la considera como algo constructivo y que intentará colaborar para que le permita obtener buenos resultados en el período siguiente. Es poco probable

que consiga impresionar a su evaluador si da la sensación de que se siente agraviado por el proceso, si demuestra una actitud negativa con respecto al mismo o si se manifiesta inapropiadamente a la defensiva. Es fácil reaccionar exageradamente a las críticas, y realmente puede que tenga que hacer frente a varias. Tiene que expresar su punto de vista, pero también tendrá que aceptar y admitir que algunas cosas no han sido perfectas y que otras se tienen que mejorar.

2. Actitud con respecto al trabajo. Recuerde que la imagen que proyecte tendrá una relación directa con sus posibilidades profesionales, con absolutamente todo: desde la posi-bilidad de adquirir un poco más de responsabilidad hasta su promoción. Recuerde además que las personas suelen extrapolar sus percepciones. Si no se ha preparado bien para la reunión puede que no le consideren momentáneamente organizado con respecto a una importante ocasión, que lleguen a sacar conclusiones sobre su escasa capacidad de organización para desempeñar su trabajo. Una consideración de este tipo podría influir directamente en las decisiones relativas a su futuro.

Por lo tanto, piense en cómo quiere que le vean (esto es útil incluso fuera del proceso de evaluación). Puede que desee que le vean como una persona entendida, experta, capaz, innovadora o creativa, buena con los demás o como un buen comunicador, eficiente y productivo, bien organizado, digno de confianza, detallista, discreto, con alguna de estas cualidades o con todas ellas y algunas más. Puede que todos estos factores se expresen de una forma específica: mostrando un conocimiento impresionante de los sistemas informáticos, quizás, o siendo capaz no sólo de comunicarse sino además de redactar el mejor informe escrito de toda la oficina.

Si piensa en ello, la lista no sólo incluirá un número bastante elevado de puntos, sino también todo aquello que a usted le interese proyectar. Por ejemplo, puede que naturalmente no sea una persona muy bien organizada aunque intenta mejorar y consigue lo que se propone, pero en algunas ocasiones, como en los procesos de evaluación, se asegura de que no hay ninguna posibilidad de que le tomen por una persona desorganizada. La conclusión que debe sacar de todo esto es que tiene que obligarse a pensar detenidamente y con detalle en la imagen que quiere proyectar y en cómo puede hacerlo de una manera activa.

Revisar los planes de trabajo específicos

Aquí tiene que concentrarse en el trabajo que realiza y en lo que significará en el futuro. Quizás esté a punto de asumir la dirección de un determinado proyecto. Esto le permitiría entrar en contacto con los demás, establecer plazos de entrega definidos o entrar en áreas que no pertenecen a su campo de experiencia actual. Si este es su caso, piense en qué tipo de ayuda, consejos o apoyo de parte de su manager le podrían ser de utilidad y aproveche el proceso de evaluación para hablar del tema. Seguramente no será la mejor ocasión para tratar todos los asuntos en profundidad, quizás debería intentar convocar otra reunión específica para abordar ese asunto, pero el tenerlo sobre la mesa, puede influir en otros elementos de su discusión.

Revisar los criterios de éxito

Esto enlaza directamente con el punto anterior y tiene que pensar en lo que va a ser su trabajo en los próximos meses, y en los factores que podrán influir en su posible éxito. Quizás las condiciones económicas estén cambiando y tenga la impresión de que también deberían cambiar los targets, o quizás haya planes de cambio en el organigrama de la empresa que requerirán tiempo y dedicación. O cambios en los sistemas, que supondrán dedicar tiempo a la formación o a asimilarlos.

Los ejemplos anteriores son negativos, es decir, pueden condicionar su capacidad para desempeñar el trabajo. También conviene hablar de los factores positivos. Por ejemplo, los cambios en los sistemas pueden dejar más tiempo libre y ofrecer la oportunidad de desarrollar nuevas iniciativas en otros ámbitos.

En cualquier caso, puede resultar muy útil, en una fecha posterior vincular una petición de apoyo a algún acuerdo general definido en la evaluación.

Formación y desarrollo

Éste debería ser un tema de discusión obligado en cualquier reunión de evaluación. En la mayoría de las organizaciones es muy importante mostrarse abierto a la formación. De hecho, teniendo en cuenta el dinámico mundo en el que vivimos, es normal asumir que sea cual sea el nivel de formación que tenga, éste no podrá permanecer igual a lo largo de toda su carrera profesional sino que continuamente tendrá que ir actualizando y ampliando sus conocimientos.

La formación se puede considerar desde dos puntos de vista: 1) Necesidades inmediatas: todo aquello relacionado muy específicamente con el trabajo actual y con el trabajo a realizar en los próximos meses. Si sabe que en el futuro* va a tener que hacer muchas más presentaciones, por ejemplo, y no se siente demasiado preparado para hacerlas, entonces el proceso de evaluación es un buen momento para intentar conseguir el visto bueno para seguir un curso especializado en el tema; 2) Necesidades más a largo plazo: en este caso puede ver una necesidad más a largo plazo y considerar que más vale empezar a trabajar en ella pronto que tarde; y luego no tener que ir con prisas. O puede que simplemente quiera ampliar sus conocimientos, capacidades y perspectivas con miras al futuro. Normalmente las organizaciones contemplarán las dos, aunque quizás sea más fácil obtener la aprobación para las primeras, por lo tanto, una vez más puede definir las intenciones específicas de lo que quiere conseguir en el futuro.

Recuerde, la formación y el desarrollo van acompañadas de una gran variedad de actividades diferentes, literalmente desde leer un libro (¡incluso uno muy breve como éste!) hasta asistir a un curso lo suficientemente largo como para causarle problemas de continuidad y de que las cosas sigan funcionado cuando esté ausente. Sea realista. No le van a dar permiso para pasarse tres meses al año estudiando en una escuela de negocios, pero al menos debería intentar conseguir algún tipo de actividad de desarrollo con regularidad. El proceso de evaluación también constituye una buena ocasión para cambiar impresiones, y quizás incluso para agradecer la oportunidad de haber recibido algún tipo de formación en el pasado y para hablar de su utilidad.

* Si este es realmente su caso, considere *30 Minutos antes de una presentación*, de esta misma colección.

Por pedir que no quede. Es mejor que pida recibir más formación de la que le aprueben que no tener ninguna idea al respecto, y es más fácil conseguir menos que más.

Desarrollo de la carrera profesional

Siempre es conveniente contar con un plan activo sobre el desarrollo de su carrera profesional. Esto incluye la valoración de sus puntos fuertes y débiles, saber hacia dónde quiere ir y qué va a necesitar para poder llegar hasta allí. Desde su punto de vista, en último término, el progreso puede llevarle a separarle de su empleador actual. Si es una intención firme, puede que no sea muy conveniente hablar de ello durante la reunión de evaluación. Sin embargo, es preciso tratar de las posibilidades más a largo plazo, y hay que tenerlas en consideración sobretodo si está negociando temas que puedan ser decisivos para su desarrollo futuro.

Puede que en principio estos temas sean poco importantes, por ejemplo una pequeña intervención en otro departamento o actividad, o puede que impliquen o que signifiquen algo más que un salto adelante. Puede que sepa lo que quiere hacer al respecto, y que quiera hablar de ello o ejercer cierta presión. Alternativamente puede que esté en un momento en el que una reunión de evaluación le brinde la oportunidad para obtener algunos consejos o para iniciar un diálogo más a largo plazo. En estas conversaciones, recuerde hablar de todo lo que ha conseguido la organización gracias a los cambios sugeridos por usted, y no limitarse únicamente a lo que éstos han supuesto para usted.

Una vez más es muy importante tener presentes unos objetivos específicos. Simplemente la intención de decir «¿Y a largo plazo?» puede llevarle a una interesante y útil disgresión, pero sólo suscite un breve comentario al respecto y se pase rápidamente al siguiente tema. Una pregunta de este tipo no constituye un verdadero objetivo. Todo objetivo debe ser específico, a ser posible mesurable y estar relacionado con un plazo de tiempo. Por lo tanto quizás le interese más empezar con algo de este tipo: «Dentro de dos años» me gustaría estar haciendo..., tener un sueldo de..., y estar a nivel de (el siguiente nivel jerárquico). «¿Cómo podemos...?» Está bien aspirar alto, pero al mismo tiempo hay que escoger cuidadosamente objetivos factibles (no cómo puedo llegar a director general este año). Y sus propósitos deben ser realistas (por ejemplo, no pretenda conseguir algo para lo que necesita una preparación que no posee, al menos sin incluir algo relativo a su adquisición).

Este es un tema muy importante, y generalmente le prestamos muy poca atención ya que tenemos que hacer frente a otras presiones más inmediatas. La peor postura que puede tomar es la de mirar hacia atrás y decirse a sí mismo «Si al menos...» Hay una estrofa en una de las canciones de John Lennon que dice: «La vida es lo que sucede mientras estás haciendo otros planes». Un pensamiento poco agradable. La conclusión que debemos sacar de todo esto es que hay que llegar a un equilibrio entre las ideas y actuaciones a corto y largo plazo en relación al futuro.

Compensaciones

Este tema está estrechamente relacionado con el proceso de evaluación, aunque como ya hemos dicho anteriormente, las decisiones pueden estar separadas. Independientemente de cuál sea la política de su organización al respecto, nunca acuda a una reunión de evaluación sin tener unas cuantas ideas e intenciones claras en cuanto al salario y a los beneficios. Una vez más apuntar alto está bien, pero es fundamental tener objetivos específicos. No sirve de nada que decida cómo va a abordar los temas si simplemente se dice a sí mismo «quiero conseguir el máximo aumento de sueldo posible». Tiene que pensar en las cosas en su contexto (inflación, el nivel de sueldo de sus homólogos y el que pagan las otras compañías, etcétera). Y recuerde que actualmente los paquetes de compensaciones salariales son muy complejos. Más dinero es algo que desea la mayoría de la gente pero los cambios, por una serie de compensaciones salariales, como coche de la compañía o fondos de pensiones también tienen consecuencias monetarias, y merece la pena tener presente la situación en toda su globalidad.

Obviamente tenemos que considerar varias circunstancias. Algunas están relacionadas entre sí, como las nuevas responsabilidades y la formación que le va a permitir asumirlas. Algunas tienen importancia en la actualidad; otras tienen implicaciones más a largo plazo. Hay demasiado en juego como para dejarlo todo en manos de unos minutos de reflexión justo antes de entrar en la reunión de evaluación, y lo peor que le puede pasar es salir de esa reunión tan importante y recordar que se ha olvidado de hablar de algo fundamental.

Si tiene todo muy claro en su cabeza, y además ha tomado algunas notas, sobre lo que quiere conseguir en todas esas áreas, entonces, puede pasar a una preparación mucho más formal. Es mucho menos complicado de lo que parece. En realidad, todas estas reflexiones muchas veces se realizan sin proponérselo, de un modo natural. En la mayoría de los casos se trata de actualizar una imagen que ya existía y no de empezar de cero con una hoja de papel en blanco, y esto ayuda a que el proceso se pueda controlar. Sin embargo, sea cual sea el proceso mental que siga para aclarar sus objetivos, sin duda merecerá la pena. Todo este proceso de reflexión es el primer paso para conseguir sacar el máximo partido de su evaluación.

3

LA INFORMACIÓN NECESARIA

Normalmente los procesos de evaluación tenderán a ser más constructivos cuando se concentren no sólo en cuestiones generales, sino en temas específicos: en lo que realmente se ha hecho, en cómo se ha hecho y en los resultados obtenidos. Pero en un año pueden pasar muchas cosas. Haga una prueba. Intente recordar lo que estaba haciendo una semana en concreto (elija una al azar, hace nueve meses por ejemplo). Incluso si consulta su agenda, sus recuerdos serán menos que perfectos.

Una de las cosas que pueden suceder a lo largo de un proceso de evaluación es precisamente esto. Puede que le pidan que recuerde algo del pasado y que lo comente (por ejemplo, cómo fue un determinado proyecto). Y puede que no siempre esté al corriente de su relación con algunos aspectos de los eventos del último año. Cuando surja un tema de conversación, introducido inesperadamente, o anunciado previamente, o sugerido por usted como evento digno de consideración o de tener en cuenta, como ejemplo de cómo han ido las cosas en el pasado año, es preciso que conozca algunos detalles al respecto.

Es imposible acordarse perfectamente de todo. Nadie es capaz de recordar todos los detalles de cuanto le ha ocurrido. Pero sin duda resulta muy útil acordarse de algo. Esto se podría aplicar a detalles como su agenda por ejemplo. Un día en el que haya anotado: 10 horas, reunión con X para tratar sobre el progreso del proyecto, puede haber sido muy informativo en aquel momento, pero no tener ningún sentido al cabo de seis meses. Merece la pena revisar un poco todas estas cuestiones, aunque puede que sea útil realizar una revisión más formal, ya que el secreto del éxito de una reunión de evaluación es una buena información.

Archivo de información para la evaluación

Generalmente los esquemas de evaluación van acompañados de una documentación determinada (más detalles más adelante), por lo tanto es muy normal tener un archivo en el que guarde toda la información relativa a sus evaluaciones pasadas. El solo hecho de dividirlo en secciones pasadas y futuras le permitirá estar convencido de que la próxima evaluación le irá bien.

El punto de partida es la documentación relativa a su última evaluación. A partir de ahí debería incluir en ese archivo toda la documentación (o copias de documentos, siempre y cuando estén guardados en otros archivos) que pudiera tener importancia o ser relevante en su próxima reunión. Ésta podría incluir:

▶ Una nota de los cursos que está siguiendo (como mínimo, incluya una copia del programa del curso y una copia de todas las hojas de evaluación que haya tenido que cumplimentar, y quizás podría incluir una nota que dijese dónde hay que remitirse para encontrar las calificaciones obtenidas).

▶ Una nota de todos los «eventos significativos» (ésta podría incluir algo relativo a su primera presentación, o su participación en una reunión de la sociedad comercial o su afiliación a un comité importante).

▶ Definicion de objetivos, progreso en relación a los mismos y resultados obtenidos.

▶ Comentarios de otras personas: quizás el director general le escribió una carta felicitándole por algo, o un cliente satisfecho puso por escrito unas palabras alabando sus servicios.

Otros documentos útiles podrían ser algunos memorandums, actas de reuniones u otros escritos que pudieran ser útiles como prueba de sus actividades y resultados.

La idea es no ponerlo todo ni pasarse demasiado tiempo reuniendo toda esta información. Tampoco hace falta preparar un documento completo, bastará con una nota. Seguramente podrá utilizar la información recogida para abordar los temas que surjan en su próxima revisión. Por ejemplo, si van a evaluar sus aptitudes como comunicador, incluya algunas pruebas al respecto.

Recuerde que no se trata únicamente de un «archivo de logros» que contiene referencias de sus éxitos. Si las cosas van mal, o no tan bien como esperaba, es muy probable que sean objeto de revisión (esto amplía la información que puede recoger provechosamente).

Antecedentes

Además de todo lo mencionado, se pueden añadir muchos otros temas. Uno de los más importantes es el de la descripción de su puesto de trabajo. No se trata de una formalidad, a pesar de que la legislación laboral y algunas veces la política de personal pueden hacer que lo sea, sino de un instrumento de trabajo. Todo el mundo necesita saber a grandes rasgos en qué consiste su trabajo (y quizás qué está fuera de su jurisdicción). En muchas compañías, sin duda a nivel departamental, circulan descripciones de los distintos puestos de trabajo, si es preciso excluyendo información confidencial (acerca de niveles salariales, por ejemplo). Esto significa que los miembros de un equipo saben exactamente cómo se reparten las responsabilidades, algo que debería incluir al manager de la sección. Esta cuestión se podría abordar en una reunión de evaluación a fin de aclarar temas y garantizar la efectividad del trabajo en equipo.

Algunas veces las evaluaciones utilizan la estructura y el contenido de la descripción de un puesto de trabajo como elemento de su agenda. Si este es el caso, resulta muy útil tenerlo presente y si no, quizás le convenga abordar algunos aspectos incluidos en la descripción no mencionados.

Piense en cualquier otra documentación que pueda serle de utilidad, por ejemplo:

▶ Resultados financieros (especialmente cuando de ellos depende, al menos en parte, el resultado de su evaluación).

▶ Instrucciones habituales o excepcionales.

▶ Registros que indiquen los factores que han cambiado durante el año.

▶ Notas relativas a alguna evaluación menos formal que haya tenido lugar durante el año.

Si este tipo de archivo de datos para la evaluación se mantiene al día y en orden, puede ser un punto de referencia muy útil a la hora de preparar su próxima reunión de evaluación. Todo esto tiene una explicación, y es evitar la discusión. Si algunos temas son objeto de mala interpretación o disputa, es muy fácil que las evaluaciones acaben deteriorándose y que se conviertan en discusiones tipo partida de tenis de mesa, en las que todo se limite a una disgresión del tipo «dentro/fuera». Si todo el mundo tiene todo claro, ambas partes salen ganando y es mucho más probable que la reunión sea más constructiva. No puede contar con que la persona que le evalúe le entregue un escrito en el que figure que los resultados han mejorado un 10,7 por ciento. Lo más seguro es que le diga «bien, los números sólamente han crecido un 10 por ciento más o menos»; y esta diferencia puede ser importante.

De lo que aquí se trata es de garantizar una base constructiva para la reunión. No estamos sugiriendo que haya que elaborar argumentos defensivos para luchar contra unos evaluadores deseosos de «destrozarle». Pero algunos de los temas tratados implican igualmente a los evaluadores. Si le cuesta recordar con detalle todo lo que ha hecho durante el año, imagínese lo que puede ser para el manager que tiene ocho o diez personas a su alrededor continuamente. Lo que esta sección pretende básicamente es advertirle de que antes de someterse a una evaluación tiene que reunir una cantidad de información pertinente y precisa a fin de estar preparado para la misma.

PREPARARSE PARA UNA EVALUACIÓN

Su evaluación es demasiado importante como para limitarse a intentar «improvisar» ese mismo día. Si quiere sacar el máximo partido del proceso es preciso que se prepare. Básicamente la preparación no es nada más que una versión más formalizada del viejo refrán que dice que «hay que pensar antes de hablar». No tiene que ser nada desalentador, ni tampoco nada demasiado laborioso.

Tome la iniciativa

Entre todas las instrucciones que reciben los managers antes de hacer una evaluación, está la de avisar a los que van a ser evaluados con la suficiente antelación. No se trata de que la sorpresa forme parte del procedimiento. Lo que se pretende es que en las reuniones de evaluación se consideren las opiniones de ambas partes. El que va a ser evaluado debe ser avisado con la suficiente antelación, informado del orden del día de la reunión (darle una idea de la duración aproximada de la misma) y –según el sistema que vayan a utilizar– puede que tenga que completar un formulario y entregarlo antes de la reunión. En este caso tendrá una oportunidad formal para poner por escrito algo relativo a su rendimiento.

Puede que todo vaya bien. Si es así, entonces todo es perfecto. Si no es así, entonces la ocasión es lo suficientemente importante como para que tome la iniciativa. Puede preguntar con antelación cuál es la fecha prevista para la evaluación (y quizás pedir algún tipo de información adicional, como por ejemplo la duración prevista de la reunión). También puede responder a cualquier notificación breve, pidiendo más detalles, información sobre aspectos específicos como, por ejemplo, duración de la reunión, lugar, agenda, etcétera y solicitando la inclusión de aquellos puntos que le puedan parecer de interés. Si esta solicitud se hace de una forma positiva: «Quizás podría sugerir que sería muy útil...», no hay ningún motivo por el que no deba considerarse. Si quiere que se tengan presentes todos los puntos que quiere tratar, puede que sea más conveniente ponerlos por escrito y no limitarse únicamente a pensar en ellos, llamar a la puerta de alguien y preguntar «¿tiene un minuto?»

De otro modo puede estar seguro de que si llega a la reunión y empieza a pedir que incluyan y que cambien cosas de la agenda, lo único que conseguirá será causar problemas.

Advierta particularmente los puntos que hay que aclarar antes de la reunión (o quizás cuando empiece), decida cómo y cuándo hablará de ellos y tomará las medidas necesarias. Un ejemplo, que puede ser importante, es el tema de la confidencialidad. Antes de hablar tiene que saber qué piensan del tema. Siempre hay que tener mucho cuidado con este asunto.

Respetar y acatar los sistemas

Las evaluaciones requieren un enfoque sistemático. Sin un sistema la evaluación sería muy subjetiva, y entonces resultaría muy difícil garantizar su complitud o imparcialidad. Por esta razón precisamente muchas organizaciones han pensado tanto en los temas como en los aspectos en función de los cuales evaluarán el rendimiento, y en las escalas de puntuación que utilizarán para poder emitir un juicio a partir de unos estándares de rendimiento. Esto se refleja en las formas y formatos que verá que se van utilizando durante todo el proceso.

Normalmente la documentación empleada se divide en dos secciones distintas: una que tiene que ver con el pasado y con una revisión de los resultados pasados, y otra relacionada con una previsión del futuro. La primera de ellas, como ya hemos dicho, se puede utilizar para realizar una primera autoevaluación inicial antes de la reunión.

Los sistemas varían, no sólo en la cantidad de detalles que su diseño permite recoger, sino también en que muchos de ellos están diseñados para reflejar la naturaleza de trabajos específicos y de las tareas que conllevan. La lista que aparece a continuación resume las áreas que suelen ser objeto de revisión.

LISTA: HOJA DE EVALUACIÓN

Revisar los resultados pasados

Agenda: las primeras preguntas pueden estar relacionadas con el final de la reunión:

1) ¿Qué quiere sacar de esta reunión?;
2) ¿Hay algún tema concreto del que le gustaría hablar? ¿Por qué?

Trabajo: aquí las preguntas se concentran en la tarea realizada, tanto cualitativa (con preguntas sobre lo que le gusta, sobre lo que le ha gustado o le ha parecido satisfactorio o estimulante –o un problema–); como cuantitativamente (con preguntas sobre éxitos, y resultados y sobre objetivos cumplidos o no).

Relaciones: investigar su trabajo en términos de su interacción con otras personas (con homólogos, subordinados o con otros miembros de la organización –o de fuera de ella– con los que puede trabajar o tener relación).

Desarrollo: este tema le permite concentrarse en sus habilidades, es decir, qué necesita en el trabajo en estos momentos, cómo se considera en relación a su capacidad para satisfacer esas necesidades de su puesto de trabajo, y si es preciso añadir o ampliar habilidades (o cuáles no se están utilizando en estos momentos).

Personal: una oportunidad para pensar más en términos de sentimientos. ¿Ha sido fácil o difícil? Si pudiera, ¿haría las cosas de otra forma? ¿Le exigen demasiado? ¿Está aprendiendo, o pasando por un bache?

Proyectos especiales: este tipo de encabezamientos permite la discusión de áreas específicas de su trabajo o áreas de mayor actualidad.

Planificar los éxitos futuros

A esta sección habría que dedicarle por lo menos la mitad de la discusión y del tiempo (posiblemente más). Hay que concentrarse en el próximo período futuro y en cómo se pueden reforzar las probabilidades de alcanzar el éxito. Normalmente se suelen repetir los mismos temas, y las cuestiones deben abarcar:

- Cambios y diferencias conocidos o que se pueden anticipar (de año en año).

- Ideas de mejoras que se pueden incluir en el plan de trabajo del próximo año.

- Prioridades para el período.

- Su papel y cómo podría cambiar.

Respete siempre el sistema. Aunque no le guste no lo puede cambiar y es mejor que, cualquier cosa que hubiera podido hacer para cambiarlo en algún sentido, permanezca separada del ciclo de su propia evaluación. Una cosa es sugerir ir más allá del sistema (puede que el propio sistema le pida que sugiera temas de discusión) y otra muy diferente es ignorar los elementos del mismo sin una buena razón.

Algunas compañías acompañan sus materiales de evaluación de un documento o «manual para los evaluados». Si alguna vez le dan uno, tómese su tiempo para leerlo detenidamente. Además, al margen de que tenga o no tenga esas notas, si no entiende alguno de los aspectos del sistema pregunte siempre; y pregunte en el momento oportuno. A nadie le conviene acudir a una reunión de evaluación con alguna duda sobre lo que se espera de él.

Escalas de puntuación

Una parte inherente al formato de evaluación es la de las escalas de puntuación. Pueden tomar muchas formas y las organizaciones las pueden interpretar de diversas maneras. Algunas las pueden relacionar precisamente con resultados específicos (incluyendo opiniones de sueldo); otras pueden utilizarlas menos formalmente, con un extremo de la escala que implique ninguna acción y con el otro que implique algún grado de acción correctiva.

Las escalas no sólo existen para señalar el rendimiento más bajo o para identificar debilidades (a pesar de que lo hacen); pueden ser muy útiles –o incluso imprescindibles– para estudiar qué produce buenos resultados y para ver si es posible sacar alguna conclusión que se pueda transmitir al resto de la organización.

No hay duda de que es necesario estudiar las escalas. A continuación mostramos algunos de los formatos que puede encontrar:

▶ *Una simple escala numérica:* 1-6, 1-7 o lo que sea, con un extremo positivo y otro negativo (alternativamente podría utilizar calificaciones como A,B,C, etcétera).

▶ *Una escala descriptiva;* puede estar o no relacionada con números y las palabras pueden o no ser elegidas con precisión, por ejemplo excelente, muy bien, bien, correcto, adecuado, insatisfactorio.

▶ *Una escala gráfica:* se trata efectivamente de una línea en la que se identifican unos extremos positivos y negativos, por ejemplo alto-bajo; y quizás puntos medios o cuartos.

▶ *Una escala comparativa:* puede ser una lista de unas 4-10 afirmaciones quizás: frases como «el mejor del grupo».

▶ *Una escala de comportamiento:* clasifica una lista de opciones que se relacionan específicamente con las cosas que se hacen, por ejemplo siempre, casi siempre, generalmente, pocas veces o nunca.

Esencialmente todas tienen la misma finalidad y sirven para garantizar la consistencia y la imparcialidad, es decir, todo el mundo se evalúa por igual, y cada persona se puntúa de un modo tal que se puedan hacer comparaciones de año en año.

Por lo tanto, estudie el sistema, complete y devuelva todos los formularios –puntualmente– y además dedique una parte de su propio tiempo a considerar el detalle de lo que su evaluación podría o debería incluir para que el resultado fuese satisfactorio.

Reflexione antes de la reunión

Sistemas aparte, las evaluaciones deberían ser conversaciones. Sin embargo pueden abordar una gran cantidad de detalles y tener una duración de entre una a dos o tres horas (e incluso más). Es un error pensar que se va a acordar de todo lo que quiere preguntar o decir a medida que transcurra la reunión, y lamentarse luego cuando se dé cuenta de que se ha olvidado de comentar un tema muy importante del que quería hablar.

Lo único que tiene que hacer es pensar un poco y tomar unas cuantas notas.

Tenga en cuenta el formato de la evaluación. Después de haber pasado por una con un jefe en particular ya tendrá una idea bastante aproximada de lo que va a ser y las preguntas de la primera vez le confirmarán que no se trata de un terreno totalmente desconocido. Por ejemplo, si sabe que es bastante probable que empiecen haciéndole una pregunta de carácter introductorio y general del tipo: «A grandes rasgos, ¿cómo describiría el año?, debería pensar un poco en cómo va a incluir en la respuesta todo aquello de lo que le interese hablar. Un buen giro de la frase puede servir para reconducir la reunión hacia un mejor punto de partida y también para darle la orientación que más le convenga.

Además de todo lo expuesto, tiene que considerar sistemáticamente (y teniendo presente el sistema) una serie de factores que le ayudarán durante toda la reunión:

▌ Los temas de los que quiere hablar: pueden estar bien descritos en la agenda y en los formularios de evaluación, pero tal vez quiera añadir algo a la lista o modificarla.

▌ Ejemplos de cada uno de los temas: si se va a hablar de su capacidad para dirigir proyectos, entonces le convendrá escoger uno o más ejemplos de lo que ha hecho a lo largo del año, y resaltar específicamente de qué forma su intervención en esos proyectos resultó decisiva (¡elija uno que hay ido bien!), y cuáles fueron los resultados finales. También surgirán ejemplos de cosas que no hayan ido tan bien, no intente limitarse a acumular excusas, piense en qué hubo de positivo en todos ellos (¿qué aprendió de ellos? ¿Cómo se podría mejorar si una situación similar se repitiera otra vez?).

▶ Puntos a tratar más detalladamente: piense también en cómo quiere ejemplificar o describir los detalles que puedan surgir en la discusión, y en cómo quiere abordarlos exactamente. La misma acción se podría describir como una consecuencia de su excelente planificación, o como un resultado de su inherente flexibilidad y habilidad para responder rápida e inteligentemente a las circunstancias imprevistas.

▶ Áreas que quiere abordar: y quizás incluso las preguntas que quiere formular. Las preguntas bien formuladas expresan planificación y un enfoque considerado y puede que esto sea lo que le interese demostrar. De lo que se trata aquí es de descubrir lo que quiere fácil y rápidamente de forma que no desbarate la agenda o que lleve demasiado tiempo.

Y a propósito, no tiene que ser discreto. Si piensa que le ayudará acudir a la reunión y acompañar su explicación de unas cuantas notas, e incluso de unas transparencias, no dude en hacerlo. No le conviene ni olvidarse de algo ni tratarlo inadecuadamente; y el evaluador aprobará su preparación.

Aunque no es posible anticiparlo todo y la planificación debe ser flexible, contar con un plan determinado contribuirá a la buena marcha de la reunión y a la superación de las circunstancias imprevistas que puedan surgir a lo largo de la misma.

Un último punto: si ha pensado en todas las cosas de este modo se sentirá más seguro con respecto a la reunión. Las evaluaciones pueden parecer situaciones estresantes; después de todo puede que no esté tan mal aprovecharlas. Pero el estrés es una reacción. Sin duda una reunión difícil que no ha preparado le va a preocupar. Una reunión bien preparada, en la que confía en su capacidad para desenvolverse bien, tiene más probabilidades de ir bien.

LA REUNIÓN DE EVALUACIÓN

Ahora, ha llegado el momento. Está ahí sentado y tiene que hacer todo lo posible para que la reunión vaya bien. Como dijimos en el capítulo anterior, la preparación es fundamental. Probablemente no bastará con respirar hondo al atravesar el umbral de la puerta, pero hay algunas cosas que, cuando se encuentre en ese momento, podrá hacer para que todo el proceso se desarrolle con normalidad. Ninguno de los detalles enumerados a continuación son complejos por sí mismos. Pero las evaluaciones, como muchas reuniones relacionadas con el tema, requieren la orquestación de una serie de elementos diferentes. La complejidad –y la necesidad de prestar atención– es mayor en esta orquestación que en cualquier otra área individual. Cuanto más conozca la naturaleza de la reunión, y todo lo que debería o podría incluir, más fácil le resultará.

Las primeras impresiones prevalecen

Todo lo que se pueda decir de las primeras impresiones se puede considerar como un cliché. Puede serlo. Si todo empieza con buen pie, entonces se sentirá más seguro y se comportará de forma que la reunión transcurra bien.

En este momento, es importante tener presentes varias consideraciones. Éstas incluyen:

▶ *Apariencia:* tiene que vestir el cargo. No le voy a detallar cómo se tiene que vestir. Basta con decirle que este no es un buen día para darse cuenta de que parece que haya dormido vestido o de que necesita un buen corte de pelo.

▶ *Modales:* este también es un tema personal, pero merece la pena dedicarle unos minutos. Puede que le evalúe una persona a la que conoce bien, el manager con el que trabaja habitualmente. Pero podría ser otra persona, quizás de más categoría jerárquica, quizás menos conocida por usted; y en algunas organizaciones podrían ser más de dos personas e incluso un grupo de personas. No exagere y piense que la reunión debe ser muy formal, pero ajuste su nivel de familiaridad o de ligereza al que le parezca adecuado.

▶ *Procedimiento:* si es preciso, tome la iniciativa y vuelva a comprobar todo aquello que no conozca de la agenda, formato y duración de la reunión. Todo esto debería haberlo aclarado previamente; de no ser así, es mejor que lo aclare al principio de la reunión.

Ahora reléjese. Se trata de una reunión pensada para ayudarle y para beneficiar a la organización. Debería resultar interesante, constructiva e incluso estimulante. Considérela como tal, y no con pesimismo y miedo o con demasiada aprensión, y seguramente le irá mucho mejor. Muestre cualquier reserva que tenga con respecto a la reunión y sin duda la actitud del evaluador con respecto a usted cambiará.

Una vez iniciada la reunión sin duda tendrá que desplegar varias técnicas, siempre teniendo presentes sus objetivos y aplicándolas de forma que le permitan reaccionar inteligentemente a todo lo que suceda (que nunca será exactamente igual a lo que había previsto). Más importantes son sus habilidades para escuchar, para hacer preguntas, para hacer comentarios, para saber encajar las críticas, y para aprovechar y conectar con cualquier oportunidad que se presente.

A continuación consideraremos cada una de estas técnicas.

Escuchar

Por supuesto que escucha. ¿Está seguro? ¿Nunca ha tenido un fallo en la comunicación porque no ha entendido algo correctamente? Si se quiere demostrar a sí mismo cómo el escuchar influye en la efectividad, simplemente considere lo que ocurre cuando alguien dice algo con lo que no está de acuerdo. En un momento dado, su mente empieza a gastar parte de su energía, no escuchando, sino desarrollando un contra argumento. El efecto de esto se puede anunciar.

No sólo quiere entender perfectamente todo lo que se dice sobre usted en la reunión, sino que además quiere dar la impresión de que es un buen oyente, que se toma los procedimientos en serio. La lista que aparece a continuación contiene algunos principios útiles y que sin duda corroboran la utilidad de escuchar.

LISTA: ESCUCHA EFECTIVA

- *Quiere escuchar:* reconocer que puede ayudarle es el primer paso para hacerlo bien.

- *Dar la impresión de ser un buen oyente:* deje que el evaluador vea que tiene su atención mediante el contacto visual adecuado y el reconocimiento de sus palabras.

- *Escuchar y dejar de hablar:* no puede hacer ambas cosas a la vez, la reunión resultará muy desagradable si lo hace y si tiene que resistir la tentación de interrumpir, esperando hasta que ya se haya dicho todo (o lo que haga parecerá como una evasión).

- *Utilice la empatía:* póngase en el lugar del otro, intente ver las cosas desde su punto de vista y que se note que lo hace.

- *Compruebe:* aclare todo aquello que no esté claro, ya que dejarlo correr podría causar problemas más graves más adelante.

- *Mantenga la calma:* concéntrese en los hechos e intente no exagerar, o ser demasiado emocional, dificultando su capacidad para captar todo el mensaje.

- Concéntrese y no permita que nada le distraiga.

- *Piense en las cuestiones principales:* llegar al fondo de todo lo que se dice, que puede estar oculto en otras informaciones y comentarios menos importantes.

- *Evite las personalidades:* concéntrese en lo que se dice –en el argumento– y no en quién lo dice.

- *Vaya paso a paso:* pasar de una cosa a otra rápidamente, especialmente si lo hace basándose en suposiciones, puede causarle problemas.

> ■ *Rehuya las reacciones negativas:* escuche los comentarios y no se muestre horrorizado (¡aunque lo esté!) antes de pensar en cómo va a proceder.
>
> ■ *Tome notas:* no se fíe de su memoria, vaya tomando notas a medida que avance la reunión (y, si le parece necesario o de buena educación solicite permiso para hacerlo).

Quizás no haría falta decir todo esto, pero es muy probable que esté considerando la reunión de evaluación como una situación más bien traumática, al menos un poco, y que se olvide de cómo tiene que comportarse.

Preguntas

Aquí no hay ninguna regla con respecto al orden. Algunas veces le harán preguntas o escuchará comentarios a los que tendrá que responder. Pero puede que tenga que contestar con una pregunta –en realidad no hay motivo alguno por el que no se pueda responder a una pregunta con otra pregunta– y habrá algunas ocasiones durante la reunión en las que tendrá que hacerlo. La alternativa es darse cuenta de que no está cumpliendo con sus objetivos y de que no está centrándose en el tema.

Es muy probable que las preguntas sean ambiguas (eso es posible independientemente de quién las formule). Esto es algo que nos lleva de nuevo al tema de la preparación. Parte del tiempo anterior a la reunión se puede destinar muy provechosamente no sólo a pensar en lo que podría preguntar sino también a considerar cómo lo podría preguntar de una forma clara y sucinta. Merece la pena pensar un poco en ello, ya que la confusión puede resultar incómoda y hacer que todos pierdan el tiempo.

Se pueden utilizar tres tipos de preguntas:

▶ Preguntas cerradas: se trata de preguntas que se pueden responder fácilmente con un rápido «sí» o «no». Resultan más útiles para comprobar hechos y para conducir a áreas de investigación más profundas. Pero en otras ocasiones su uso puede estar limitado, especialmente cuando se espera una respuesta más completa.

▶ Preguntas abiertas: no se pueden responder con un simple «sí» o «no». Están diseñadas para hacer que la gente hable, para aclarar información real y detalles. Normalmente empiezan con palabras como: qué, por qué, cuándo, dónde, cómo y quién y con frases como «Hábleme de...» (puede que técnicamente la última no sea una pregunta, pero hace que la gente hable).

La diferencia entre estos dos enfoques es marcada. Pregunte «¿estaré preparado para hacer cosas nuevas el año próximo?» (o especifique un área de trabajo en particular), y la respuesta puede muy bien ser «sí». Pero si la conversación continúa, en realidad habrá descubierto muy poco. ¿Cuándo empezará un proyecto nuevo? ¿Cómo empezará? ¿Qué implicará?, y así sucesivamente. Sin embargo, pregunte «Hábleme de algún proyecto nuevo en el que me pueda ver involucrado el año próximo» y la conversación que se desarrolle a continuación puede explicar mucho más.

▶ Preguntas de investigación: algunas veces incluso una pregunta abierta no proporciona el resultado deseado. Entonces tiene que estar preparado para llegar hasta el fondo de la cuestión, haciendo una serie de preguntas para concentrarse en un área en particular y para conseguir el nivel de detalle requerido. Frases como «Hábleme un poco más de...» o «Puede explicarlo un poco más» pueden ser un buen principio.

Hacer comentarios

Las evaluaciones requieren hacer comentarios acerca de su trabajo y de su rendimiento. En esto se debe haber centrado su preparación. Sus objetivos son quizás maximizar los aspectos positivos de su descripción y minimizar todo lo negativo. Puede que reciba algunas críticas (hablaremos de ello más adelante).

Los temas más importantes son una vez más de sentido común:

▶ *Sea claro:* siga todas las reglas de la buena comunicación, es decir, no desviarse del tema, no utilizar un vocabulario inadecuado y dar su opinión sucintamente. Ésta puede parecer la parte más sencilla del procedimiento, pero merece la pena reflexionar sobre ella. Recuerde que probablemente conoce mucho mejor los detalles de su trabajo que su evaluador. Tenga presente que la claridad, especialmente cuando se espera complejidad, impresiona.

▶ *Sea descriptivo:* a lo mejor basta con decir «tenía un plan», pero es preferible explicar de qué tipo de plan se trataba (¿práctico, excelente, creativo?). Utilice algunos adjetivos bien escogidos para apoyar sus argumentos. No hay ninguna razón para no utilizar algún tipo de ayuda visual si va a servir para algo. No se empeñe en describir figuras complejas, por ejemplo, si una simple mirada al gráfico va a bastar para que el evaluador constate la situación en ese momento.

▶ *Concéntrese en las implicaciones y en los resultados:* no se limite a comentar lo que sucedió o lo que se hizo, describa cómo se hizo y especialmente cuáles fueron los resultados. Por ejemplo, participó en la elaboración de un nuevo tríptico corporativo. Puede limitarse a mencionarlo, o puede explicar cómo se realizó, sus habilidades como diseñador de material publicitario, el cumplimiento del plazo de entrega o la reducción del mismo, cómo la investigación de varias imprentas permitió ahorrarse un dinero y las reacciones positivas expresadas por los clientes al respecto, o incluso todos los ingresos que ya se han obtenido a partir del mismo. Puede escoger entre todos estos puntos y ver la manera de relacionarlos con su agenda, con sus objetivos y con el criterio que va a seguir para abordar los temas.

▶ *Proporcionar pruebas:* si es preciso, no se limite a explicar lo que sucedió, demuéstrelo, documentando la evidencia o citando cifras cuando sea necesario. Siempre que las cifras se utilicen como pruebas, deben ser citadas con propiedad. Puede que baste con decir «el incremento fue de un 10 por ciento aproximadamente», pero es mejor decir «la productividad aumentó un 10,8 por ciento» (y nunca diga «el 10,7 por ciento aproximadamente»; la yuxtaposición de la palabra «aproximadamente» y una cifra exacta no es correcta).

Saber encajar las críticas

Por lo general los procesos de evaluación mal conducidos se centrarán fundamentalmente en todo lo que no ha ido del todo bien. En el peor de los casos, la conversación puede acabar deteriorándose y convertirse en una discusión y mientras se está discutiendo, no se consigue prácticamente nada.

Pero en todos los procesos de evaluación se va a dedicar un tiempo a hablar de las dificultades –forma parte del proceso– y tiene que estar preparado para resolver la situación. En este sentido debe tener siempre presentes tres intenciones, y éstas deben primar sobre cualquier tentación de mostrarse excelente en todo.

▶ *Intente ser preciso:* en este caso su intención es asegurarse de que se consideran los hechos adecuados. Procure que el evaluador no utilice afirmaciones del tipo «Nunca entrega nada a tiempo...». Probablemente no será cierto. Pero, ¿cuándo no ha cumplido los plazos y cuáles han sido las consecuencias de su impuntualidad? Es mucho más fácil discutir sobre temas específicos y las preguntas pueden muy bien ser el camino para identificarlos.

▶ *No defienda nunca nada que no sea cierto:* tratar de averiguar lo que realmente le están diciendo es el primer paso para responder correctamente a lo que le dicen.

▶ *Dar una impresión de objetividad:* si considera las críticas como un mecanismo utilizado para ponerle automáticamente a la defensiva, entonces es muy poco probable que la discusión sea constructiva. Hacer una manifestación de reconocimiento de una de las siguientes posiciones siempre puede ser de gran ayuda. Sin duda, eso:

– indica que le parece que hay un punto sobre el que se debe discutir (si no es así, entonces tenemos que volver al tema de la precisión);

– indica que no va a discutir de un modo que no sea constructivo;

– pone de manifiesto que tiene intención de responder de una forma seria y considerada;

– indicale concede un momento para pensar (¡que puede ser muy útil!) y le permite manejar mejor la discusión subsiguiente.

Unas pocas palabras pueden bastar en este caso. Empezar con un «sí» les da fuerza. «Sí, hubo un problema con eso» y suena bien aunque tenga la intención de continuar para minimizar el problema.

▶ *Hacer frente a las cuestiones que vayan surgiendo:* ahora se trata de plantear la cuestión. Las opciones son pocas y por lo tanto manejables. Puede que tenga que explicar por qué surgió un problema, en ese caso puede optar por una de las cuatro alternativas siguientes:

1. *Elimine la dificultad:* si es posible, puede explicar que lo que parecía ser un problema o error, en realidad no lo era. Un retraso, por ejemplo, podría no estar contemplado en un plan original, pero causó pocos problemas.

2. *Minimice la dificultad:* quizás tenga que reconocer que hubo un problema, pero explique que tuvo muy poca importancia.

3. *Convierta la dificultad en algo positivo:* algunas veces es posible argumentar que lo que inicialmente parecía un problema, en realidad no lo era. Un retraso podría no estar contemplado en el plan original, pero se podría incluir por una buena razón (de no ser por el retraso, podría haberse convertido en un problema real).

4. *Reconozca el problema:* después de todo, es inútil empeñarse en que lo negro es blanco. La mayoría de los mortales ordinarios tenemos problemas en el curso de un año de actividad. Su trabajo no consiste en persuadir al evaluador de que no ha habido problemas, sino en convencer al evaluador de que, en general, ha tenido un año bueno.

Recuerde que el principal objetivo de la evaluación es definir el escenario de un trabajo satisfactorio para el año próximo, no discuta sobre lo que no se puede cambiar. Nadie puede hacer retroceder el tiempo, pero todos nosotros aprendemos de la experiencia. Por lo tanto, cuando la discusión aborde el tema de las dificultades, es fundamental incluir las lecciones aprendidas para el futuro.

Aquí, la lista de implicaciones y acciones es considerable. Puede que el fracaso se deba a la imposibilidad de predecir las circunstancias (es preciso contar con nuevos procedimientos por si estas circunstancias se repiten de nuevo). Puede que esté empezando a emplear unas habilidades que antes no eran necesarias para realizar su trabajo (y que necesite rápidamente recibir la formación adecuada para incluirlas dentro de su cartera de capacidades). Puede que sólo haya cometido un pequeño error (y que sólo necesite apuntárselo mentalmente para que no se vuelva a repetir). Puede que haya lecciones que aprender, pero en último término hay que poner el énfasis en lo que va a suceder a continuación, y de este modo se podrá regresar a los elementos constructivos del diálogo.

Nota: si ha cometido errores graves, se puede producir un solapamiento entre su evaluación y un procedimiento disciplinario. Asimismo, puede que durante su evaluación hable por primera vez de determinados temas, como la discriminación por ejemplo, que a su vez están relacionados con la legis-

lación laboral. Los detalles tanto de los procedimientos disci-
plinarios como de la compleja ley laboral no pueden abor-
darse en este libro; si es preciso debe acudir a otras fuentes
para investigar sobre ellos.

Objetivos

A la hora de considerar los resultados hay que reconocer que
en todos los trabajos hay algunos objetivos que se consideran
sagrados. Pueden depender directa y automáticamente de cómo
le consideren en la empresa y de su sueldo. Si no consigue
cumplir un objetivo de ventas, por ejemplo, o un determinado nivel de productividad, puede recibir sanciones específicas. Una vez más, la explicación puede ser que forma parte del
juego. Las evaluaciones consideran el trabajo tal y como es y
juzgan los resultados en consecuencia.

Puede ocurrir que las circunstancias o los acontecimientos
lleven a conclusiones ya tomadas, o a acciones decididas previamente, que cambien algunos de los parámetros aparente-
mente fijados. En este caso puede que haya que hacer alguna
modificación en la descripción del puesto de trabajo.

Puntuaciones

En algunos casos, las puntuaciones utilizadas para la medi-
ción formal durante el proceso de evaluación pueden requerir
ciertas anotaciones (quizás completar un formulario) mientras va avanzando la reunión de evaluación; alternativamente
esto se puede hacer al final de la reunión. Algunas de estas

anotaciones pueden estar relacionadas con los objetivos y estos como tales pueden ser prejuzgados; por ejemplo, antes de la reunión ya se sabe que no se ha cumplido un objetivo determinado y por lo tanto también se sabe el resultado. Básicamente, sin embargo, los juicios se deben emitir durante la reunión y, como es posible que no se conozca la razón de que algo haya sucedido, es preciso discutir para poder llegar a emitir un juicio justo.

Oportunidades

Siempre hay que estar atento a las oportunidades que puedan presentarse. Las circunstancias y actitudes que puedan aflorar en el transcurso de la reunión pueden dar una imagen fresca de algo. De un proyecto que durante todo el año no parecía nada más que una distracción puede surgir un nuevo compromiso. A su vez, si lo plantea bien, pueden surgir discusiones sobre las capacidades que ha demostrado, capacidades que de otro modo no se hubieran puesto de manifiesto. Y esto, a su vez permite que la discusión investigue nuevos caminos de cara al futuro.

Algunas veces puede detectarlo y encaminar la discusión hacia ese terreno. En ciertas ocasiones, el evaluador lo hace, incorporando información que no conocía o de la que nunca había oído hablar. En el último caso tiene que estar seguro de que está viendo lo que sucede y tiene que relacionarlo con sus propias intenciones y objetivos.

Planes de acción

De todas las reuniones de evaluación se realiza un resumen muy claro. Le pueden pedir que sea usted quien lo haga o que incluya sus comentarios en el resumen del evaluador. En este momento, valoraciones aparte, uno de los temas que tienen que estar más claros es el de la definición de todos los planes de acción que haya que poner en práctica.

Tiene que ser una definición específica y firme: va a empezar a formar parte del comité de dirección a partir del 15 de diciembre, por ejemplo. O puede que se haya planteado una idea inicial que necesite seguimiento. En este último caso lo máximo que se puede hacer es fijar la fecha para una próxima reunión para profundizar un poco más o para atar cabos sueltos. Para algunos temas, puede que le convenga más convocar otra reunión adicional y separada que insistir en alargar la discusión en ese momento, que no hace nada más que desbaratar la agenda y el programa de la reunión de evaluación.

No olvidar

Pase lo que pase, y algunas veces las reuniones de evaluación son un poco emotivas, no pierda el control. Nunca pierda las formas. Sin duda puede, algunas veces, mostrarse enérgico (seguramente su evaluador no espera menos). Tiene que obrar de acuerdo con sus convicciones, pero su imagen sufrirá si se muestra enfadado o disgustado cuando no es oportuno. Si es necesario, respire hondo y nunca tenga miedo de decir «¿podría concederme unos minutos para pensar en ello?» mientras va ordenando sus ideas. De lo que se trata es de conocer su opinión, no de provocar una explosión de argumentos rápidos y poco meditados.

Al final

De este modo, al término de la reunión puede abandonar la sala con:

- Una discusión constructiva detrás de usted.
- Unos ratings aceptados y documentados.
- Un plan de desarrollo actualizado.
- Algunas lecciones aprendidas y anotadas.
- Planes definidos y fechas determinadas para el período siguiente.
- Quizás, con la fecha de otra reunión prevista para hablar más en profundidad de determinados temas.

Sea como sea, y por bien o mal que haya ido la reunión, puede abandonarla con un perfil personal que es positivo en varios sentidos, por ejemplo en su:

- Actitud con respecto a la evaluación.
- Conducta y actitud constructiva durante la misma.
- Predisposición para aceptar las críticas constructivas y para aprender de ellas.
- Su habilidad para identificar y concentrarse en los resultados más importantes.
- Probabilidad de que el próximo año sus resultados sean buenos.

¿Ya está? ¿Me puedo olvidar de todo hasta la evaluación del año que viene? No. Si quiere aprovechar al máximo cualquier oportunidad que le pueda proporcionar la evaluación, tiene que considerar algo más.

6

DESPUÉS DE
LA REUNIÓN

¡Por fin se acabó la reunión! A lo mejor no ha sido tan terrible como pensaba. Tal vez ha sido un éxito. Por bien que haya ido, uno siempre tiene la tentación de sentirse aliviado, de dejarlo todo de lado y de seguir adelante con su trabajo. Sin duda alguna, hacer esto es un error. Hay que hacer mucho más, y hay que detenerse un momento y pensar en ello.

El ciclo de evaluación

Antes de volver a la acción práctica necesaria posterior a una reunión de evaluación, considere el ciclo de eventos relacionados con la misma. El ciclo de acción necesaria para garantizar la continuidad de los resultados se desarrolla del siguiente modo:

❯ *Definición del trabajo:* lo primero que hay que hacer es definir el trabajo en términos de objetivos y tareas y de cualquier tema relacionado con el mismo (las relaciones que implica, las fronteras y los solapamientos con otros trabajos, etcétera).

❯ *Definición de capacidades:* esto define el conocimiento, las habilidades y actitudes necesarias para poder realizar el trabajo correctamente.

❯ *Valoración del nivel actual de capacidades:* en otras palabras, el nivel de conocimientos, habilidades y actitudes de un individuo en ese momento.

❯ *Identificación de cambios:* conocimientos adicionales o ampliados, habilidades y actitudes que puede requerir el trabajo al considerar sus implicaciones futuras.

❯ *Definición de objetivos de desarrollo:* decidir qué medidas habrá que tomar para eliminar cualquier brecha que pueda existir entre el nivel actual de capacidades y el nivel que se deba alcanzar.

❯ *Orden de prioridades:* decidir qué hay que hacer en primer lugar, en segundo lugar y así sucesivamente.

❯ *Implementación de actividades de desarrollo:* poner en práctica la actividad planeada.

❯ *Evaluación del progreso:* comprobar cómo se desarrollan los acontecimientos y contrastarlo con la definición y con los requerimientos del puesto de trabajo.

Esto describe un ciclo de actividad continuo. Parte de este ciclo es formal. La definición del trabajo, por ejemplo, puede derivar en una descripción formal del puesto de trabajo o en una revisión de la descripción actual. Parte del ciclo es informal, en el que tanto la actividad de desarrollo como la de evaluación se van haciendo, en parte, mediante una actividad que se mezcla con el desarrollo normal de su trabajo y con el diálogo habitual entre el manager y aquellos a los que supervisa.

La evaluación anual (o cualquier otra reunión adicional programada) es simplemente una parte de este ciclo continuado. Desde este punto de vista, la reunión puede parecer más una actividad rutinaria que una actividad excepcional. Además, también pone de manifiesto la necesidad de realizar un seguimiento. La evaluación no es algo que sucede aisladamente. Se trata del catalizador de un proceso global. En último término la evaluación se realiza para mejorar los resultados futuros y para ayudar a conseguirlos, así como las acciones derivadas de la misma.

El sistema

Antes que nada un apunte sencillo. Complete siempre con puntualidad todos los formularios relacionados con la evaluación. En primer lugar, para respetar y acatar el sistema; es una lástima que tenga que manchar su expediente por no haber cumplido el primer plazo fijado después de la reunión de evaluación. En segundo lugar, porque si deja de hacer este tipo de cosas su capacidad para recordar todos los detalles se resentirá rápidamente (como saben todos los que tienen que redactar actas de reuniones). Los detalles son importantes y usted quiere que sean un fiel reflejo de lo ocurrido.

Si el evaluador tiene que enviarle algún documento, pregúntele cuándo va a hacerlo. Guarde toda la documentación en su archivo de evaluación; las primeras medidas que deberá tomar para que la evaluación del próximo año vaya bien, las deberá empezar a tomar inmediatamente después de la evaluación de este año.

Conecte con su sistema de trabajo

Puede que tenga que tomar alguna decisión más o que tenga que definir algunos propósitos adicionales. Puede que se haya comprometido a:

▶ Buscar información sobre cursos especializados en un tema o habilidad concreta y sugerir la conveniencia de asistir a alguno de ellos;

▶ Proporcionar información adicional sobre los antedentes;

▶ Asumir nuevas responsabilidades que requieren la celebración de reuniones de definición de responsabilidades;

▶ En el futuro, revisar los targets y objetivos con más frecuencia, o para un período determinado.

Puede que tenga que incluir éstas y otras muchas acciones posibles en su agenda, confirmarlas por escrito y recordarlas para el futuro. Recuerde que si hay mucha gente que trata directamente con el manager que le evalúa, es muy probable que tenga una larga lista de acciones de seguimiento. Sería interesante documentar todo aquello que estimara necesario, de esta forma se aseguraría de que va a recordarlo y de que va a tomar las medidas necesarias.

Algunas acciones pueden consistir en quitar cosas del medio, como por ejemplo una posterior comprobación de algún aspecto de su trabajo que se cuestionó. Otras acciones pueden estar relacionadas con aspectos de los que es un entusiasta y que conducen a nuevas oportunidades o desafíos. Realice el seguimiento de ambas y mantenga una actitud positiva con respecto a todo el proceso.

Recuerde, toda la información que se obtenga de usted va a condicionar los eventos futuros. Supongamos que en su evaluación consigue la aprobación para recibir algún tipo de formación que le interese. Está encantado de poder hacerlo, de poder programar la asistencia a un curso y de realizar su seguimiento. Si le va bien, hágaselo saber a su manager –incluyendo un «gracias» si es preciso– y enlácelo con sus tareas habituales. Si no era lo que pensaba, dígalo también. Puede que le convenga hacer otro curso diferente y además, así evitará que otros pierdan el tiempo.

Progreso futuro

Roma no se hizo en un día, y las evaluaciones no pueden resolver todos los problemas y hacer despegar nuestro progreso, garantizando la obtención de buenos resultados futuros y de sus correspondientes recompensas sin esfuerzo. Pero las evaluaciones deberían ser un elemento constructivo de aquellas consideraciones y acciones continuadas que vinculan lo que hacemos actualmente a la naturaleza dinámica del entorno en el que trabajamos y que nos dan alguna esperanza de poder mantenernos en pie.

La reunión de evaluación puede ser una parte muy importante del proceso. No tiene por qué ir bien automáticamente. Algunos sistemas son inflexibles, inapropiados o poco recomendables. Hay managers que consideran el proceso como una tarea rutinaria. Algunos aspectos de la burocracia corporativa intervienen para diluir la efectividad de las evaluaciones, concentrándose artificialmente en aspectos poco constructivos y olvidándose de su finalidad. Tanto los evaluadores como los evaluados participan en el proceso y, por lo tanto, ambos deben actuar en consecuencia a fin de garantizar que se trata de un proceso constructivo y no de un proceso irrelevante y de una pérdida de tiempo.

Si juega su papel –preparándose desde que termine su evaluación hasta la siguiente– entonces dará al proceso un sentido positivo. Las pequeñas acciones pueden ser muy relevantes, una simple cuestión bien considerada puede llevar la discusión hacia un área nueva, positiva y extraordinaria. Puede ganar mucho; no permita que se le escape ningún aspecto de la evaluación por un descuido.

EPÍLOGO

La mejor manera de ganar una discusión
es empezar teniendo razón.

JILL RUCKLESHAUS

Terminaremos igual que empezamos exponiendo una visión realista del entorno laboral. Al comienzo del nuevo milenio el entorno laboral es, en una palabra, dinámico. Los empleos para toda la vida ya pertenecen al pasado y esperar que el trabajo «vuelva a la normalidad», una visión de tiempos más estables, ahora no tiene sentido. Muy poca gente, si es que hay alguien, cobra simplemente por estar ahí. Todos nosotros, independientemente de nuestro nivel jerárquico, somos juzgados por nuestros resultados; eso es justo pues los resultados son lo que tenemos que conseguir con nuestro trabajo.

También es normal que los managers quieran saber cómo la gente hace su trabajo y que intenten mejorar sus resultados. Individualmente la mayoría de nosotros también queremos saberlo. La satisfacción laboral procede, en gran parte, de una sensación de logro y tenemos que saber qué y cuánto estamos consiguiendo con nuestro trabajo. Por lo tanto la evaluación constituye una herramienta al servicio del proceso de gestión. Y en último término su objetivo más importante es incrementar la probabilidad de que los resultados futuros sean satisfactorios, mejor aún, excelentes.

Como puede llegar a estar muy metido en su trabajo, la reunión de evaluación representa una oportunidad excelente para dar un paso atrás y revisar cómo van las cosas, y para dar un paso hacia delante y planear cómo se pueden hacer mejor para que en el futuro todo marche bien. Básicamente, para los evaluados, hay dos áreas fundamentales en las que la evaluación puede ser muy útil: 1) maximizando los resultados actuales y futuros del trabajo; y 2) interviniendo en la planificación y en el desarrollo de la carrera profesional más a largo plazo.

Ambas están estrechamente relacionadas. Normalmente las carreras no suelen prosperar si no se sabe a ciencia cierta lo que rinde una persona. Por lo tanto cualquier ayuda que pueda ofrecer la evaluación será muy bien recibida. ¿Qué decía aquella vieja canción de los Beatles? «Lo conseguiré con un poco de ayuda de mis amigos». En un entorno corporativo nadie triunfa totalmente gracias a sus propios esfuerzos. La mayoría de nosotros recibimos ayuda, información y consejos durante toda nuestra trayectoria, consciente o inconscientemente, de aquellos con los que trabajamos.

Las evaluaciones se deberían considerar desde este punto de vista. Naturalmente, en el proceso interviene un elemento de «comprobación», pero es, o debería ser constructivo, y además el proceso debería mirar hacia el futuro. Si se ignora o no se le concede la suficiente importancia se correrá un riesgo importante. Si se considera como un recurso que forma parte de lo que puede ayudar a triunfar y se toma una postura activa en relación a lo que se puede obtener de él, sin duda resultará de gran utilidad.

El secreto para sacar el máximo partido de las evaluaciones se puede resumir en 10 puntos claves, que son los siguientes:

LISTA

- Tómese en serio la evaluación (es un lujo poder detenerse un momento y pensar en lo que está haciendo).

- Considérela desde un punto de vista positivo; concéntrese en lo que usted (y su organización) puede conseguir de ella.

- Estudie y familiarícese con el sistema utilizado por su organización.

- Tenga presente la evaluación durante todo el año y reúna las informaciones y los hechos relevantes que puedan serle de utilidad en la próxima evaluación.

- Prepárese para la reunión, piense de qué quiere hablar y anticipe lo que se va a discutir.

- Intente participar activamente en la reunión, en lugar de limitarse a dejarse llevar por los acontecimientos.

- Exponga sus puntos de vista de forma clara y positiva.

- Haga cualquier comentario o pida toda la información que crea necesaria.

- Tome nota de los puntos de actuación acordados durante la reunión (y asegúrese de cumplir todos los plazos que se hayan acordado durante la reunión).

- Muéstrese abierto a la discusión, constructivo frente a las críticas, positivo respecto a las oportunidades futuras y siempre receptivo a nuevas formas de hacer las cosas y a nuevos proyectos que pueda emprender.

Todo el mundo quiere triunfar. Es una vieja, pero acertada, máxima la que dice que hay una diferencia significativa entre cinco años de experiencia y un año de experiencia multiplicado por cinco. Demostrar que está en el grupo de los de cinco años de experiencia, y que su experiencia, competencia, éxitos –y por lo tanto su papel– mejoran, es un proceso al que hay que dedicar tiempo y atención.

Una parte del proceso que se va repitiendo es la evaluación regular de su trabajo. Aprovéchela al máximo y jugará un papel importante en su progreso y éxito.

Otros títulos de esta colección:

De próxima aparición:

Notas

Notas

Notas

Notas

Notas

Notas